P9-AOH-809

[丹麦] 依卜·斯旁·奥尔森／文·图　　杨玲玲　彭懿／译

Drengen i Månen

月光男孩

湖北美术出版社

月亮高高地挂在天上。
大地一片寂静，
只有池塘的水里
显得又明亮。

月亮低头一看，

发现水里

还有一个月亮，

他好奇极了。

一个圆之夜，

月亮叫来了月光娃娃，

对他说：

"你能不能到下面去一趟，

把另外一个月亮给我带回来？

我想见见他。"

月光娃娃

也想见见他，

就说："好啊，我这就去了。"

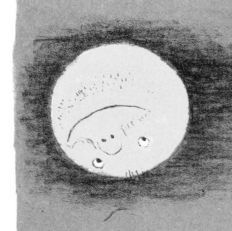

他立刻找来了一个
过去装星星的篮子。

"我会把另一个月亮
装在篮子里带回来。"
说完，他就朝下跑去。

一不小心，
他踢到了一颗小星星，
把它变成了一颗流星，
可是他自己
并没有看到。

他看到下面有一朵云，
就想："躺在那上面
一定很柔软，
我该躺下来
在上面歇一会儿。"

可那朵云实在是太软了，
他直接从云里掉了下去。
当他从云层下面钻出来的时候，
浑身都湿透了。

在云层的下面，

他遇到了

一架大飞机。

飞机上的大人都在忙着想自己的事，

没有人看到他。

不过，有一个小女孩看到了，

她说："我看到飞机外面有一个男孩！"

"瞎说！"她妈妈说，"那不过就是一个普通的月亮。"

月光男孩穿过一大群鸟，

朝下面飘去。

他想，它们正在飞往

更加温暖的地方吧。

我得小心，别让我的篮子

把鸟套住了。

我的帽子飞了回来。

接着，又一阵狂风吹过来——哗！

突然，一阵狂风吹过来——哗！
我的帽子掉了下去。

他继续往下飘的时候，

碰到了一只风筝。

他心想，我可不愿意

把这个可怕的东西带回家，

幸亏它被拴住了。

接着，

他遇到一只蝙蝠，

又遇到一只鸟，

和一些五月金龟子，

一些蜻蜓，

一些飞行的种子，

还有一个气球。

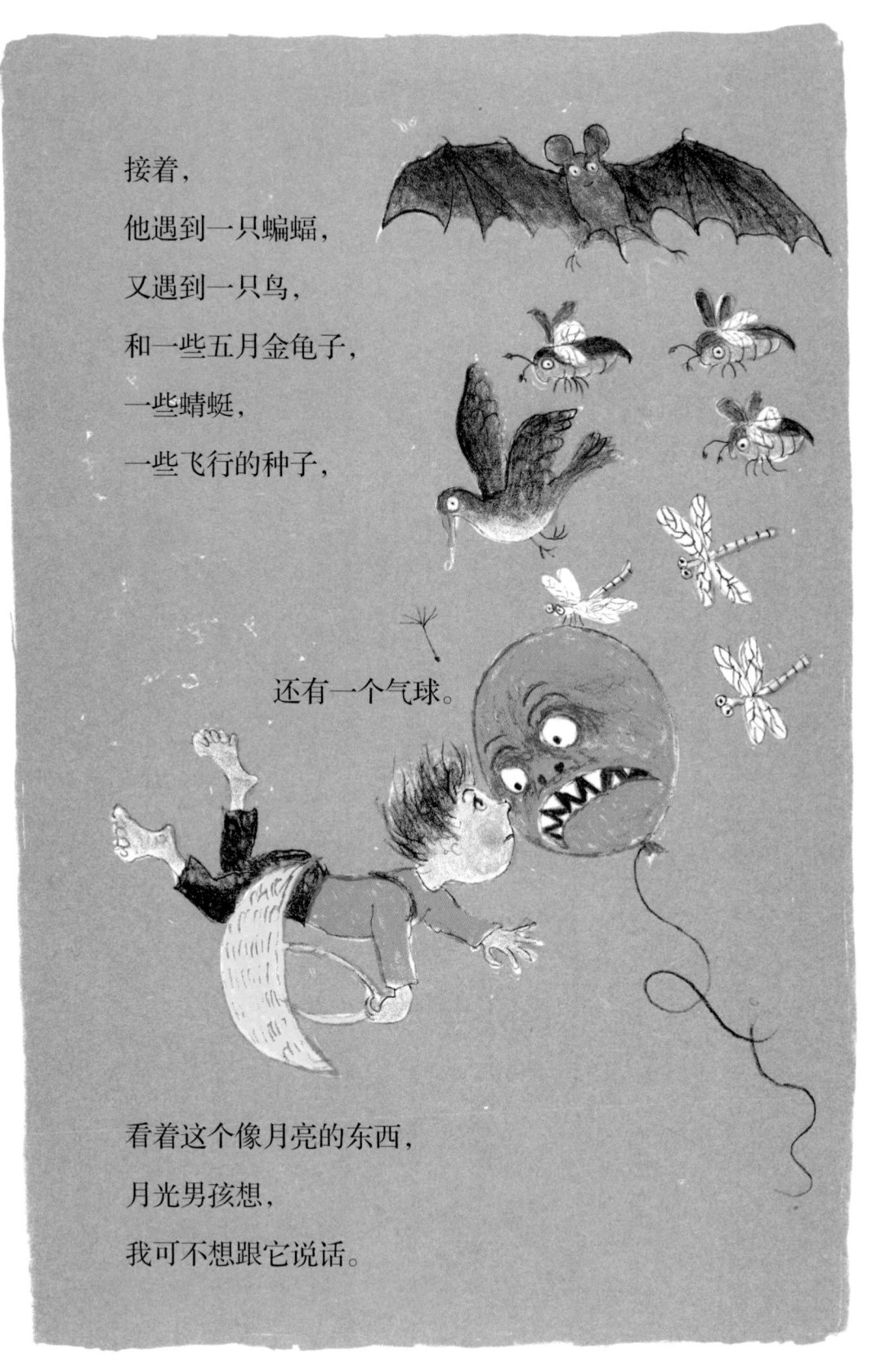

看着这个像月亮的东西，

月光男孩想，

我可不想跟它说话。

几个男孩

把球踢得很高，

踢到了空中。

球看上去很友好，

但月光男孩想，

我还是觉得

球弹得太高了。

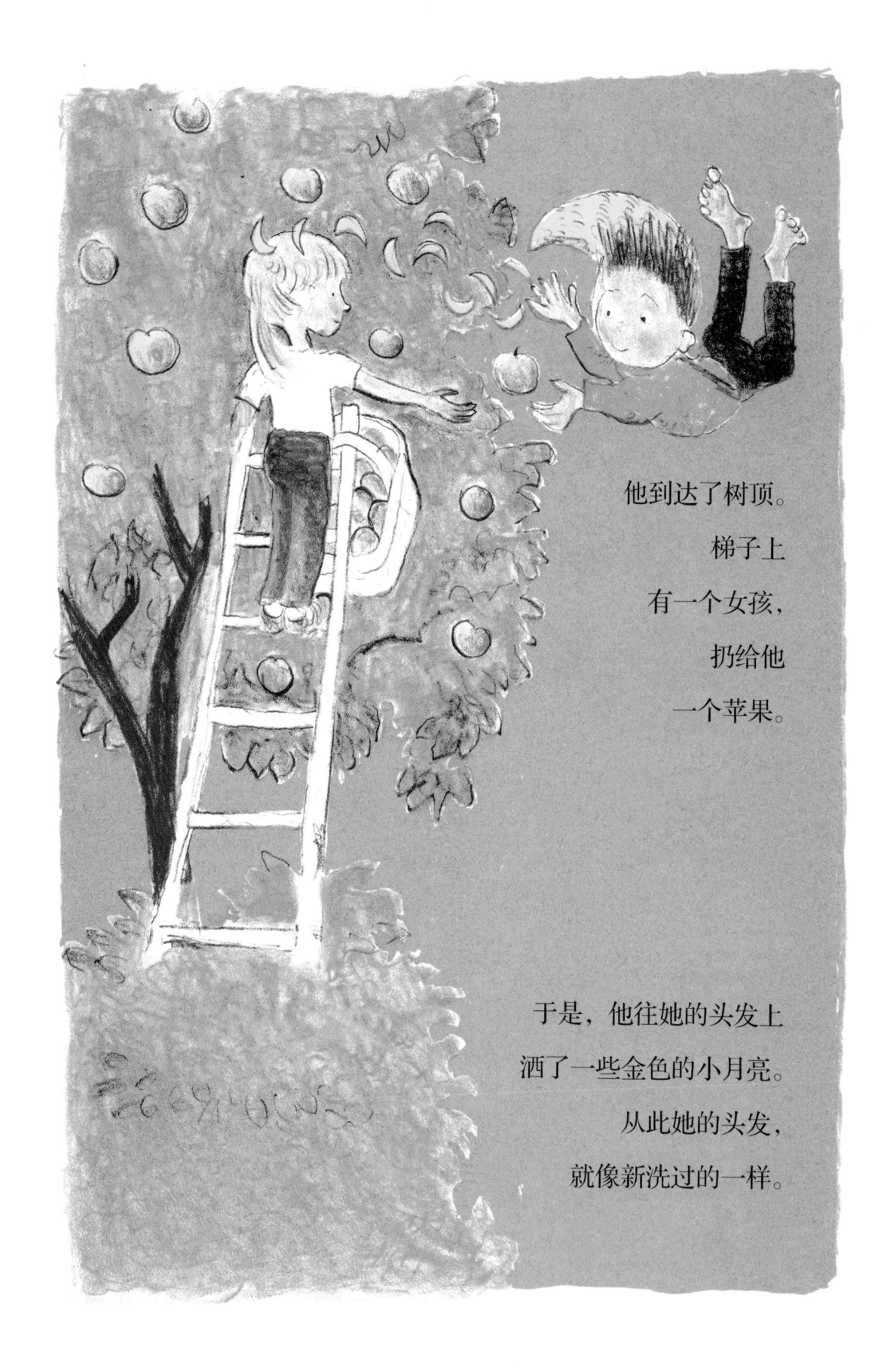

他到达了树顶。
梯子上
有一个女孩，
扔给他
一个苹果。

于是，他往她的头发上
洒了一些金色的小月亮。
从此她的头发，
就像新洗过的一样。

这是一个香甜的小月亮，

男孩一边想，

一边就把苹果吃掉了。

当他来到烟囱顶上的时候，

他的脸，都被烟熏黑了。

不一会儿，他来到了
山脚下的一个小镇。
他经过一些窗户，一路往下掉。

"看，"
一个小女孩说，
"一个男孩
掉下去了！"

"是啊，
要是小孩不洗脸，
就会发生这种事。"
小女孩的妈妈说。

两个小孩

正好站在隔壁的窗口。

"看！月光男孩！"

其中一个孩子说。

"快进来！"另一个孩子喊。

可是，月光男孩没有时间了。

FRUGT·GRØNT

他朝着
街上的人群中
落了下去。

"看到那个男孩了吗？"
杂货店的老板说，
"看样子，
他是从月亮上
掉下来的。"

这里有好多月亮，
男孩想，
可是没有一个
是真正的月亮。

他从街上飘过去，

经过了码头。

"扑通"

一声巨响！

他一下掉进了港湾里。

水里有许多奇奇怪怪的生物。

有怪鱼朝他吐了一大滩，

恩尔浪来了。

还有一嘴圆了尖牙，比其他鱼，

它看起来有花纹和凹凸花色的皮肤。

这时，他在港湾的水底，

发现了一个闪闪发亮的东西。

这是一位女士丢失的镜子。

他把它捡起来，

对着它看了看。

"哇！"他叫道，

"这是我见过的

最漂亮的月亮！

我要把他带回家！"

他把这个小月亮

放进篮子里，

然后急匆匆地

钻出水面，

经过码头，

越过街道，

沿着楼房向上飞去。

穿过烟雾，

穿过树林，

穿过鸟群，

穿过云层，

飞到天上，

来到了群星之上，

一直回到了月亮上的家。

月亮看着月光男孩
从水下找到的东西。
他也觉得这另外一个月亮，
是他见到过的
最漂亮的月亮，
又英俊，又友善。

直到今天，
每当月亮
想跟一个真正聪明的人
聊聊天时，
他都会拿出那面镜子。

他们的看法
总是那么一致。